Spijt

Charles den Tex

Spijt

DE GEUS

© Charles den Tex, 2009
Omslagontwerp Mijke Wondergem
Omslagillustratie © Jupiterimages
Druk GGP Media GmbH, Pößneck
ISBN 978 90 445 1523 7
NUR 305

Spijt

Ze nemen afscheid op het perron. Overal om hen heen mensen die hetzelfde doen. Innig zoenend, zakelijk handen schuddend, mensen die snel goeie reis wensen, een vlugge kus geven en zich omdraaien, zwaaiers, huilers en uitgelaten juichende tieners. Het is druk, warm, hoogseizoen in het zuiden van Frankrijk. Hard zonlicht trekt donkere schaduwen over de sporen. Lange treinen staan te wachten, zilvergrijs en blauw, hun snelheid nog opgeborgen in hun vorm.

Midden in die drukte zijn ze alleen. Zij hebben hun eigen manier, stil tegen elkaar aan, hun armen om elkaar heen. Ze voelt zijn adem in haar hals, warm en vertrouwd. Zo doen ze het altijd, gewoon een paar minuten zonder bewegen en zonder woorden. Lichaam tegen lichaam. Voelbaar door hun dunne zomerkleren.

Ze zijn het gewend, want hij gaat vaak, voor werk, de zaak. Er is altijd wel iets in een buitenland. Besprekingen, een overname of een fusie, ze vraagt er niet meer naar. Het is altijd belangrijk en meestal groot. Zij brengt hem en haalt hem, het maakt niet uit hoe laat 's nachts of hoe vroeg 's ochtends hij vertrekt of aankomt. En altijd houden ze elkaar even vast. Zijn lijf voor haar, haar lijf voor hem. Geen vragen.

Vandaag gaat hij naar Antwerpen. Een conferentie. Niet echt werk, maar toch iets waar hij bij moet zijn. Drie dagen, plus een dag heen en een dag terug. Vier nachten. Voor zijn doen niet eens lang, alleen valt het nu midden in zijn zomervakantie, daarom vertrekt hij per trein naar Parijs en reist hij van daaruit verder naar Antwerpen. Hij belt niet. Dat doet hij nooit. Af en toe een sms, meer niet. Hij gaat en komt terug.

Ze lacht en strijkt met haar handen over zijn schouders, voelt de gladde, lichte stof van zijn pak. Italiaans. Dat staat hem het beste, versterkt de allure die hij in zich heeft. Ze knijpt hem zachtjes in zijn arm en legt haar lippen op zijn mond. Hij reageert onmiddellijk en opent haar lippen met zijn tong. Heel even. Haar smaak en zijn smaak, samen. Op dat moment laat ze een klein opgevouwen briefje in de linkerzak van zijn jasje glijden. Ongemerkt. Ook dat doet ze altijd. Een klein briefje dat hij nooit vindt, want hij gebruikt de zakken van zijn jasjes niet. Dat vindt hij zonde, de stof gaat ervan lubberen. En hij heeft gelijk. Daarom kan ze elke keer als hij thuis komt het briefje er weer uit halen, onaangeroerd, als een talisman die hij zonder het te weten bij zich had.

'Woensdag', zegt ze.

Dat is het moment waarop hij zijn tas pakt en de paar passen naar de deur van de trein zet. Hij drukt zijn vingers op zijn eigen lippen en daarna op die van haar, zwaait kort en stapt in.

Ze ziet hem verdwijnen in de donkere opening, door de schuifdeur, de eersteklas wagon in. Hij loopt naar zijn plaats, zet zijn tas in het rek boven de stoelen en gaat zitten. Even later wordt hij aan haar zicht onttrokken door andere reizigers, die in een lange rij door de wagon op zoek zijn naar hun stoel.

Ze draait zich om en loopt weg, door de brede hal, naar buiten, naar de parkeerplaats naast het station. Het is heet, haar dunne jurk plakt aan haar huid. De zon brandt op haar armen. Met een kort gebaar schuift ze haar zonnebril op haar neus en plotseling staat ze stil. Ze zucht. Afscheid is altijd vreemd. Vooral vlak erna is ze vervuld van een groot verlangen, haar lichaam lijkt open te staan voor de hele wereld, veel meer dan ze ooit aankan, en nog voelt het als onvoldoende. Waar het vandaan komt, weet ze niet, maar het neemt bezit van haar alsof het in haar thuis hoort; het hoort bij haar als het verlangen naar de kinderen die ze nooit heeft gehad.

In grote ruimtes is dat gevoel het sterkst. De vertrekhal van een vliegveld, een perron, of, zoals daar, het plein voor het station, waar veel mensen rond eenzelfde doel bijeen komen en weer uiteen gaan. Zonder bij elkaar te horen. Daar staat ze, de zon nog aan het klimmen, maar nu al ongenadig in zijn sterkste seizoen.

Dat verlangen duurt nooit lang en verdwijnt geleidelijk. Meestal is ze het alweer vergeten voordat het helemaal weg is. Het is alsof ze heftig opleeft en onmiddellijk daarna op standby wordt gezet, een toestel met een rood lampje, wachtend op een volgend programma. Ze kijkt om zich heen naar het drukke, schuin aflopende plein voor het station. Een man staart naar haar met een ongegeneerde blik. Ze voelt zijn ogen prikken onder haar kleren.

Hij glimlacht en knikt kort, wil al bijna een stap naar voren doen, maar zij draait haar hoofd resoluut weg en loopt naar de auto. Het verlangen is als een soort niemandsland waarvan ze niet precies wist hoe ze er terecht is gekomen of hoe ze het weer kan verlaten. Het gaat vanzelf.

Naar het huis is een ritje van iets meer dan een uur. Ze zitten boven de stad, op een helling die eerst langzaam uit het dal omhoog komt en na een kilometer of vijf steeds steiler de hoogte zoekt. Halverwege de top biedt hun terras een uitzicht waar ze elke keer weer van geniet. Ze strijkt met een hand door haar lange blonde haar en probeert te bedenken hoe ver hij nu al is. Veilig tussen geluidswallen en achter hoge hekken stuift de hogesnelheidstrein met meer dan driehonderd kilometer per uur door het Franse landschap. Vierenhalf uur naar Parijs.

Het is eigenlijk niets.

Ze rekt zich uit en kiest een van de ligstoelen naast het zwembad, maar al snel duikt ze in het water, trekt een paar baantjes, lui en langzaam zonder al te veel inspanning, anders ligt ze straks in het water te zweten.

In de ondergrondse gangen van metrostation Châtelet/Les Halles bleef hij staan. Hij pakte zijn mobiel en sms'te: 'Parijs heet. Wit wijntje op terras. En op jou. Zoen, R.'

Zijn telefoontje piepte om aan te geven dat het bericht was verstuurd. Hij keek naar het schermpje en bijna een volle minuut bleef hij staan, daar, vele meters onder de stad. Om hem heen de drukte van gehaaste Parijzenaars. De warme lucht uit de tunnels streek langs zijn hoofd. Vettig en onaangenaam. Met een korte beweging van zijn duim klikte hij de tekst weg. Hij zette zijn toestel uit, maakte het open, haalde de simkaart eruit en brak hem doormidden. De stukjes gooide hij met de telefoon in een vuilnisbak iets verderop.

Weg.

Met dat gebaar maakte hij een nieuw begin. Meer dan vijfentwintig jaar had hij altijd gedaan wat zijn vrouw wilde, nu maakte hij daar een eind aan. Abrupt, zij wist van niets, anders had ze hem zeker zijn plannen uit zijn hoofd gepraat. Dat kon zij als geen ander.

Vanaf Châtelet pakte hij de metro naar Gare de l'Est en daar stapte hij op de trein naar Duitsland. Begin van de avond arriveerde hij op Tempelhof, het vliegveld van Berlijn, ruim op tijd voor zijn vlucht naar Australië. Zijn ticket had hij contant betaald, het benodigde bedrag had hij in de loop van een maand steeds in kleine hoeveelheden opgenomen van verschillende bankrekeningen.

Bijna vierentwintig uur later stapte hij uit aan de andere kant van de wereld. Hij gleed door de douane op een toeristenvisum voor drie maanden en was nog voor sluitingstijd van de banken in de stad. Jarenlang had hij geld opzij gezet, op een rekening in Australië. Elk jaar een aardig bedrag. Hij verdiende zo veel dat niemand er iets van had gemerkt. Door slim beleggen was het bedrag uitgegroeid tot een kapitaal waar hij heel lang mee toe kon.

Hij meldde zich bij de balie van de bank en maakte een afspraak voor de volgende dag om het volledige bedrag van zijn rekening op te nemen. De kantoordirecteur slikte, nam een slokje water en vroeg of hij het heel zeker wist. Het ging tenslotte om een aanzienlijke som en ook al wilde de bank zo'n trouwe klant graag van dienst zijn, misschien was enige voorzichtigheid geboden. Erg vriendelijk allemaal, maar hij wist het zeker. Het was een gesprek van hooguit vijf minuten.

Hij nam een kamer in een hotel, kocht in de stad twee nieuwe sporttassen van sterke zwarte kunststof en de volgende dag liet hij in de bank een van die tassen vullen met geld. De bankdirecteur telde zelf de biljetten, een voor een, zodat beide mannen ervan overtuigd waren dat er geen fouten waren gemaakt. Hij ritste de tas dicht, kocht een treinkaartje naar een andere stad, zocht een onopvallend hotel en nam een kamer.

Met een tas vol contanten onder het bed van zijn hotelkamer ging hij de stad in, op zoek naar een wijk waar illegale handel floreerde. Elke grote stad in de wereld had dergelijke wijken en hier was het niet anders. Hij informeerde in cafés en in taxi's en voor het eind van de dag kocht hij een paspoort, compleet met een ziektekostenverzekering en een sofinummer. Voor iets meer dan vijfentwintigduizend dollar was hij een ander mens. Hij verhuisde naar een volgend hotel, huurde een flatje waar hij een paar dagen later in zou kunnen en opende een nieuwe bankrekening, allemaal onder zijn nieuwe naam. Elke dag stortte hij kleine bedragen op zijn nieuwe rekening. De rest hield hij in de sporttas in een kluis op het station.

Woensdag eind van de dag staat zij op de kop van het perron. De trein glijdt langzaam binnen, de hitte hangt als extra zwaartekracht onder de overkapping. Mensen lopen langs haar heen, ogen zoeken bekenden, maar nergens ontdekt zij de ogen die haar zoeken. Ze wacht tot alleen de schoonmakers met hun karretjes nog over het perron heen en weer schuiven. Even later komen de eerste reizigers die instappen. Een nieuwe drukte groeit terwijl zij het station weer verlaat. Ze haalt haar mobieltje tevoorschijn en kijkt op het scherm, ze heeft geen sms-bericht of voicemail ontvangen. Niets. Haar man is er niet en dat is sinds ze samen zijn nog nooit gebeurd. Een onbekend gevoel overrompelt haar.

Ze belt.

Er wordt niet opgenomen. Vrijwel onmiddellijk laat een vrouwenstem haar weten dat het nummer niet bereikbaar is en dat ze na de piep een boodschap kan inspreken. Dat doet ze.

'Lieverd, je bent er niet. Waar ben je? Bel me.'

In een café naast het station wacht ze op de volgende trein uit Parijs, anderhalf uur later, maar ook daar zit hij niet in. Verslagen en in verwarring rijdt ze terug naar het huis op de heuvel. Met een glas wijn in haar hand, uitkijkend over de stad ver weg, hoopt ze dat haar telefoon zal gaan. Ze eet, drinkt nog een glas wijn, kijkt televisie, belt met Renate, haar vriendin in Nederland, die haar bezweert dat ze zich niet ongerust moet maken.

'Hij doet nooit rare dingen', zegt ze. 'Dus dit is gewoon een misverstand. Hij komt natuurlijk morgen. Of zo.'

Om half een 's nachts gaat ze naar bed. De onrust in haar lijf houdt haar lang wakker tot ze uiteindelijk in slaap valt. Ze droomt van zijn afwezigheid. Abstracte gevoelens. Wanneer ze de volgende ochtend wakker wordt, is het net alsof ze is gezakt voor een examen wiskunde.

Ze belt naar het hotel in Antwerpen. Daar heeft niemand hem gezien. De kamer is niet afgezegd, maar hij is nooit aangekomen. Hoe vaak ze zijn naam ook herhaalt, hoe vaak ze ook vraagt nog één keer te controleren, het antwoord blijft hetzelfde. Ze belt naar het conferentiecentrum, maar ook daar kan niemand haar helpen. De conferentie was twee dagen geleden afgelopen en iedereen die er iets mee te maken had, is alweer vertrokken. Haar verwarring slaat om in paniek. Opeens weet ze niet meer wat ze moet denken. Elke gedachte loopt dood. De vragen komen en gaan zonder dat ze er iets mee kan. Waar is hij? Waarom is hij niet waar hij had moeten zijn? Is hij verongelukt? Ontvoerd? Nee, dan had ze iets gehoord, vast en zeker. Haar onzekerheid groeit, langzaam en onontkoombaar nemen haar tranen bezit van haar. Hij kan niet weg zijn. Hij mag niet weg zijn. Huilend loopt ze van de ene kamer naar de andere, alsof ze iets zoekt, iets van hem. Ze weet niet of ze boos is of bang. Waar is hij? Waarom laat hij niets van zich horen? Ze dept haar ogen, rood van het wrijven, en zegt het nog een keer, hardop. Tegen zichzelf.

'Hij KAN niet weg zijn.' Ze balt haar vuist terwijl ze het zegt, het is een bezwering, een verordening.

Ze belt met de politie en met andere instanties. Op zijn kantoor weten ze niets. Bijna iedereen is nog met vakantie, zijn secretaresse ook, en onmiddellijk dringt een gedachte zich aan haar op. Haar man met zijn secretaresse. Ze schudt haar hoofd. Zij is tien jaar ouder dan hij en heeft enkel interesse in haar werk. Het idee dat ze samen zouden zijn, is belachelijk. Ze verbaast zich over het gemak waarmee ze conclusies trekt die nergens op slaan. Ze vraagt aan de telefoniste of zij iets over haar man weet, maar zij is een tijdelijke kracht en kan haar niet helpen.

Uiteindelijk volgt ze zijn spoor van Parijs naar Antwerpen, waar ze niets wijzer wordt. In het hotel is hij nooit aangekomen, nooit geweest. Dat wist ze al, nu heeft ze gezien waar het was. Het voegt iets toe aan haar begrip, het concrete beeld van zijn geveinsde bestemming. Ze reist weer terug naar Frankrijk, en drie dagen later zit ze in een kamer in een enorme kantoorkolos, achter spiegelend glas, veertien hoog.

'Op die datum heeft niemand met die naam een plaats gereserveerd in de trein naar Antwerpen', zegt een man van de Franse spoorwegen. Naast hem op het bureau staat een beeldscherm dat hij naar haar toe heeft gedraaid, zodat ze er zelf naar kan kijken. De naam van haar man heeft geen enkel zoekresultaat opgeleverd.

Hij is dus in Parijs al verdwenen. De Franse politie komt in actie, eerst langzaam en bijna met tegenzin. Een vermiste Nederlandse zakenman heeft niet hun hoogste prioriteit. Dagen verstrijken, vanuit een hotelkamer probeert ze mensen aan te sporen en op te jagen. Parijs blijkt veel groter dan ze ooit had gedacht, afdelingen van instanties zitten her en der verspreid. Ze sjouwt over boulevards en door kleine straatjes, ze reist met de metro van links naar rechts door de stad, naar oude statige gebouwen en moderne kantoren. Ze wacht in onpersoonlijke hallen en in kleine kamertjes. Drinkt kopjes koffie en water. Haar mobiele telefoon altijd in haar hand, ze belt iedereen die ze kan bedenken, het contact met anderen is haar houvast. Zolang ze zoekt en vraagt en anderen achter de broek zit, kan ze de opdoemende conclusie ontwijken. Actie is haar middel om zichzelf goed te houden.

Maar de klap komt. Niemand heeft enig bericht. Ze zit aan het bureau van de inspecteur van politie die haar vertelt dat er in Frankrijk geen enkel spoor van haar man is te vinden. Niets.

'Misschien moet u het in uw eigen land proberen', zegt de inspecteur. 'En als zij niets kunnen vinden, kan vanuit Nederland een internationaal verzoek uitgaan.'

Ze luistert naar de informatie. Haar man lijkt van de aardbodem verdwenen.

Ze gaat naar huis, naar Nederland. Ze heeft behoefte aan mensen die haar begrijpen en steunen. Op Schiphol wordt ze afgehaald door Renate, die op zoek is naar redenen, gebeurtenissen, ontwikkelingen; probeert te begrijpen wat er is gebeurd, want haar wereld is ook die van haar vriendin. Succesvolle zakenmannen die de hele wereld afreizen, vaak van huis zijn, hun vrouwen achterlatend in het vertrouwen dat ze zullen terugkomen. Daarom wil Renate alles weten. Ze is opdringerig betrokken. Eerst voelt dat als een weldaad, eindelijk krijgt ze de onverdunde aandacht die ze nodig heeft, maar al na een half uur merkt ze hoe Renate zich aan haar vast zuigt. Haar verhoor kent geen eind. Of ze ruzie hebben gehad? Of hij depressief was? Zenuwachtig? Afwezig? Of het slecht ging op zijn werk? Of ze nog wel seks hadden?

Na enig aarzelen vertelt ze wat ze weet en wat ze vermoedt, al is dat niet veel. Er is nergens een reden te ontdekken voor zijn verdwijning. De avond voor hij vertrok hebben ze nog gevreeën, en, ja, zij dacht dat hij het wel lekker had gevonden.

'Wel lekker?' vraagt Renate. 'Meer niet?'

'Toe nou maar', zegt ze.

Renate is onverbiddelijk. 'Seks', zegt ze. 'Daar gaat het om. Of je het nou leuk vindt of niet. Zeker voor jullie, want jullie hebben geen kinderen.'

Pas na een tijdje komt ze erachter dat hij voor de vakantie al ontslag heeft genomen. Ze hoort het min of meer toevallig wanneer ze weer eens belt naar zijn kantoor. Niemand had eerder iets gezegd, omdat iedereen ervan uitging dat zij dat al wist. Een van zijn collega's vertelt dat haar man heeft geprofiteerd van een ruimhartige afvloeiingsregeling voor hoger management dat vrijwillig wilde vertrekken. Op zijn verzoek was er geen ruchtbaarheid aan gegeven.

'Het gaat niet om mij', had hij gezegd.

Tijdens een bescheiden borrel waren er nog wel wat vochtige ogen geweest, maar hij was, als altijd, een meester in het beheersen van emotionele zaken.

'Het bedrag van de regeling wordt overgemaakt zodra hij formeel uit dienst is', zegt een man van de afdeling personeelszaken. 'Dat is over een paar weken, want hij had in de loop der jaren nogal wat vakantiedagen opgespaard.' Die had hij allemaal opgenomen.

Moet ik hem zoeken? De vraag is er voordat ze er erg in heeft. Dwars door alles heen hoort ze hem luid en duidelijk in haar hoofd. Ze hoort de onzekerheid die erin besloten ligt, want ze heeft geen flauw idee waar ze zou moeten beginnen. Eenmaal terug in Nederland heeft ze hem opgegeven als vermist, maar aangezien elk aanknopingspunt ontbreekt, heeft de politie haar voorzichtig gezegd dat ze niet al te hoge verwachtingen moet hebben. Mensen verdwijnen. Soms. Er is geen losgeld voor hem gevraagd, dus hij is niet ontvoerd. De suggestie dat hij om een andere vrouw is vertrokken, wijst ze van de hand. Dat is het niet, daarvan is ze overtuigd. Sinds zijn verdwijning heeft hij bovendien geen cent meer opgenomen van zijn bankrekeningen in Nederland, zijn creditcards heeft hij niet meer gebruikt.

Ze zullen hun best doen. Meer kunnen ze niet.

Hij kan net zo goed dood zijn, denkt ze.

De gedachte verlamt haar.

Ze is een vreemde in haar eigen huis. Het maakt niet uit welke kamer ze in gaat, overal heerst een sfeer van verlatenheid, alsof de ruimtes nergens meer steun bieden. Verslagen loopt ze van kamer naar kamer, met haar vingertoppen strijkt ze langs de wanden, over de rugleuning van stoelen en over de tafel in de keuken, op zoek naar iets wat bekend voelt. Op zoek naar een tastbaar verleden. Ze ziet de jaren van voetstappen door de gangen en door de tuin, de jaren van maaltijden die ze in die keuken heeft gemaakt en opeens bedenkt ze dat niet het huis is veranderd, maar zij. Zijzelf. Zij is de vreemde.

Aan de keukentafel houdt ze een kop koffie in haar handen en laat ze die gedachte op zich inwerken. Alles om haar heen zou een aanleiding moeten zijn om iets uit haar geheugen terug te roepen, maar waar ze ook kijkt, ze ziet alleen het huis, de muren en deuren en ramen en drempels en lichtschakelaars en stopcontacten en alle andere details.

Het lijkt onmogelijk. Wat in haar geheugen zit, gaat toch niet zomaar aan de wandel? Net als haar man? Herinneringen blijven bij degene die ze heeft gemaakt, geleefd, gevoeld en opgeslagen. Ze zijn een bezit, misschien zijn het geen dingen die je op de plank in de kast kunt zetten, je kunt ze niet kopen of verkopen, ze hebben geen geldwaarde, maar je kunt ze ruiken en horen en zien. Ze zijn een deel van het leven, als adem en beweging, als liefde en pijn. Zonder herinneringen wordt elk gevoel moeilijker te plaatsen, vriendschap en vijandschap verglijden zonder anker in het verleden.

Hier, in deze kamers, liggen talloze momenten die nu zouden moeten terugkomen. De omstandigheden zijn ernaar: de middagzon, de geur van het jaargetijde die door de openstaande tuindeuren naar binnen komt, zelfs de geluiden van de weg vlak achter de tuin, zo kenmerkend voor deze plek. Elk van die dingen kan de aanleiding zijn voor iets uit haar geheugen om opnieuw tot leven te komen. Ze begrepen elkaar zonder alles te hoeven zeggen, maar nu hij weg is, blijkt zij, met hem haar verleden te zijn kwijtgeraakt.

Dat kan niet, denkt ze. Heeft ze dan al die jaren het leven van haar man geleefd? Weer kijkt ze naar het huis en het is alsof ze het voor het eerst ziet, voor het eerst ruikt. Een kale geur van beton, opgewerkt met frismakers en glansmiddelen. Een huis als de lobby van een internationaal hotel, luxe en chic, verzorgd, alles met aandacht neergezet, kleuren in composities en harmonieën, licht en ruimte in overvloed. De zorgvuldig uitgezochte combinaties zien er nu aanstellerig uit, overdreven in hun afstemming, de kleurcoördinatie is een vlucht uit de afwezigheid van karakter.

Het huis is groot, het heeft drie zitkamers, een eetkamer, een keuken met een eettafel, een serre en een hal met een vide tot in de nok van het dak. In hun slaapkamer op de eerste verdieping heeft ze nog een eigen zithoek, en daar zit ze te kijken naar de kastenwand tegenover haar. Kasten vol met zijn kleren. Zijn kleren hangen te wachten tot hij terugkomt. Zoals altijd.

Nu opent ze de kastdeuren en kijkt naar de pakken en overhemden, die bewegingloos naast elkaar hangen. Dassen, sokken, onderbroeken, T-shirts, alles is netjes gestreken en opgeborgen. Als een archief van een achtergelaten leven, ze bieden zicht op iets wat er niet meer is.

Hij kan inderdaad net zo goed dood zijn, denkt ze, en met die gedachte wordt het rustig in haar hoofd. Het is alsof ze de deur van het huis dicht doet en het lawaai van de stad buiten sluit. Even. Ze kijkt naar de kleren, strijkt met haar vingers langs mouwen en pijpen. Zachtjes golft het goed, de beweging lijkt haar mee te trekken, dichter naar de kleren. Onwillekeurig doet ze een stap naar achteren.

Waarom, denkt ze, waar ben je?

Per hartslag groeit het besef hoe weinig ze van haar man weet. Ze heeft altijd gedacht dat ze elkaar aanvulden, dat zij in elkaars verlengde leefden, dat er geen grenzen waren tussen wat zij wilden en wensten, en nu blijken ze niet eens bij elkaar in de buurt te zijn geweest.

Renate vangt haar op als ze in tranen op de stoep staat. Samen slurpen ze twee flessen wijn naar binnen en maken luidkeels hun verbijstering kenbaar. Langzaam drogen haar tranen en opeens ziet ze zichzelf. Ze heeft al bijna een week dezelfde kleren aan.

'Alles ligt nog in Frankrijk', zegt ze.

In een vreemde berusting vliegt ze terug naar haar vakantiehuis. Het voelt verkeerd. Ook al brengt ze er soms maanden door, het is nog steeds een vakantiehuis en vakantie heeft ze niet meer. Toch kan het niet anders. *C'est la force des choses.* De dingen dwingen haar te gaan. Het is alsof ze geen controle meer heeft over haar leven, zij bepaalt niet meer wat er gebeurt, maar de dingen, de situatie. Ze is zichzelf niet meer.

Op de vlucht naar Nice wordt ze aangesproken door

een alleen reizende man en voordat ze in de gaten heeft wat ze doet, heeft ze er plezier in, ze geniet ervan, ze laat zich zijn aandacht aanleunen, misschien vraagt ze er zelfs om. Niet met woorden, maar met haar ogen en haar bewegingen. Ze weet het niet zeker, maar ze doet iets wat ze al heel lang niet heeft gedaan. Ze is zo vaak alleen naar Zuid-Frankrijk gereisd. Haar man kwam altijd later en ging eerder terug. Maar hij was er, in haar gedachten in ieder geval, en daardoor zag ze andere mannen niet.

Nu wel.

Ze wordt overvallen door een intens schuldgevoel, een onschuldige flirt snijdt vlijmscherp door haar geweten. Vindt ze deze man leuk of geniet ze van de wraak? Opeens weet ze het niet meer.

Ik ben er nog, denkt ze, en eigenlijk is dat wat ze nodig heeft. Met een halfslachtige poging probeert ze de man van zich af te schudden, maar hij is vasthoudend. Een Belg.

'U woont in Nice?' vraagt hij. 'Althans, daar in de buurt. Dan mag ik u misschien uitnodigen voor een lunch op het strand?'

Zijn vingers raken haar schouders en armen en haar huid lijkt de kleinste aanraking te versterken.

'Ach', zegt ze.

'Of mag ik u ten minste eens bellen?'

Haar schuldgevoel blijkt beweeglijk, als ze even niet oplet, is het er niet meer. Als ze per ongeluk in zijn ogen kijkt, ziet ze precies wat hij wil. Ze herkent het, want zij wil het zelf ook. Bij wijze van compromis schrijft ze zijn nummer op. En zijn naam. Hij lacht vriendelijk, ze weten allebei dat ze niet zal bellen, maar wanneer hij de aankomsthal verlaat, zwaait hij en zijn glimlach bereikt haar moeiteloos.

Het huis op de heuvel is verlaten. Weer voelt ze de afwezigheid van iets waaraan ze gewend was. Ze ruimt op, zuigt, maakt de keuken en de badkamer schoon, zet de terrasstoelen binnen, pakt alles in wat ze wil meenemen en zet de koffers en tassen in de hal bij de deur. Ze is alleen in het huis. Ze kijkt om zich heen, doet een paar stappen naar links en naar rechts, eigenlijk weet ze niet meer waarheen. Of waarom.

In de keuken neemt ze een glas water en drinkt met kleine slokjes. Ze staat naast het aanrecht, tegen de muur. Ze voelt de koude, harde steen door haar kleren heen. De muur houdt haar tegen en biedt bescherming. Alles wat ze moet doen, ligt voor haar, al haar angsten, alles waar ze nauwelijks aan durft te denken, laat staan aan durft te beginnen, alles wat haar dwars zit en benauwt, alles wat haar aantrekt en alles wat ze wil. Het ligt allemaal voor haar. Zelfs haar dromen liggen weer voor haar, want de droom die ze had is er niet meer. Achter haar is alleen nog de muur. Ze leunt ertegen. Eenzaamheid in elke vezel van haar lichaam.

In de zak van haar jasje brandt het telefoonnummer van de Belg. Zijn glimlach is wat ze nu nodig heeft, haar behoefte aan een ander is zo sterk dat ze zich niet meer kan bedwingen. Ze pakt haar mobiel, maar zodra ze hem in haar hand heeft, aarzelt ze weer. Terwijl haar duim boven de toetsen hangt, wordt er gebeld. De politie in Nederland heeft een spoor gevonden.

'Uw man heeft op vliegveld Tempelhof bij Berlijn ingecheckt voor vlucht QF-304. Zijn aankomst in Australië wordt nagetrokken.'

'Waar zegt u?'

'Australië.'

Haar hoofd wil de naam van dat land niet toelaten. Het is te ver weg, te groot, te absoluut.

'Wanneer?' vraagt ze. Ze hoort geritsel van papier. Het was op dezelfde dag als zijn vertrek uit Nice. Laat in de avond. Hij was in één keer door gereisd, zonder ergens te stoppen of te pauzeren, anders had hij de aansluitingen niet gehaald.

Dat korte sms'je, de geruststelling die hij haar had gezonden, de witte wijn op een terras, dat was een leugen. De onzekerheid en bezorgdheid die haar nog niet zo lang geleden overvielen, zijn op slag verdwenen. Ze is woedend. Giftige boosheid raast door haar lichaam, verspreidt zich als vuur. Ze stampt en gilt en smijt haar telefoontje door de kamer.

Twee dagen later sluit ze het huis af en vliegt terug naar Nederland. Met elke stap die ze zet wordt haar onthechting groter.

Zodra hij zich in zijn flatje had geïnstalleerd, boekte hij twee vakantiereizen naar Thailand, het land waar vrouwen hun man niet meer gaan zoeken. Eén reis boekte hij op zijn eigen naam, één op zijn nieuwe naam. Luxe reizen. De eerste een week uit en thuis, volledig verzorgd in een hotel aan de kust. De andere een culturele rondreis. Op het vliegveld checkte hij twee keer in, met twee boardingpasses liep hij naar de gate, waar hij zijn nieuwe naam gebruikte om in te stappen.

Het toestel was niet vol, er waren veel lege stoelen. Achterin zat een luidruchtige groep, die zingend en lachend zichzelf voorbereidde op een verblijf in het paradijs. Het was een stel uitgelaten mannen op weg naar een week intensieve verwennerij. De stewardessen hadden de grootst mogelijke moeite hen een beetje in bedwang te houden. Pas toen het toestel landde en ze het vliegtuig verlieten, kwamen ze enigszins tot rust. In de nabijheid van hun droom verstomde hun geschreeuw.

Het hotel was niet erg mooi, een recht betonnen blok van drie verdiepingen, maar het lag prachtig, vlak aan de kust. Een privéstrand trok een witte zandstreep langs een perfect onderhouden gazon. Diepgroen gras omzoomde de terrassen en paden die van het hotel naar de zee liepen. Vanaf het moment dat ze het terrein betraden, verloor hij de mannen uit het oog en in de lange gang naar zijn kamer daalde een rust op hem neer die hij nog niet eerder had gevoeld. Hij trok zich terug en vanaf zijn eigen terrasje keek hij uit over het kalme water van de zee.

Een kleine branding brak de stralen van de ondergaande zon. Het licht was intens, zoete geuren dreven langs, de lucht was warm en vochtig. Hij trok zijn kleren uit en bekeek zijn lichaam in de spiegel, onaangedaan, alsof dat lichaam hem niets zei. Hij zag alles stilstaan, bewegingloos in zichzelf.

Ik ben er nog niet, dacht hij. Nog lang niet. De getijden in mijn lijf zijn nog niet terug. De trek door mijn armen en benen en de stroming door mijn borst zitten nog vast.

Het was alsof hij wachtte op een geluid, een toon, een klank waardoor hij los zou komen, bevrijd van zijn verleden en van zijn vrouw. Dat zocht hij, want zijn vrouw wist altijd wat hij wilde, nog voordat hij dat zelf wist. Eén blik was voor haar voldoende; zij las zijn ogen als een recept, alle ingrediënten op een rijtje. Door haar had hij zijn gang kunnen gaan, in zaken en in leven. Ongehinderd. Elke onzekerheid die hij voelde, ving ze op en draaide ze om tot een nieuwe bron van energie. Hoe ze het deed, wist hij niet, maar met haar naast zich verdubbelden zijn capaciteiten. Het was geweldig, hij had zich gewenteld in een orgie van vervulling, tot hij zich begon af te vragen of haar invloed wel zo goed was.

Met de hulp van zijn vrouw had hij zakelijke frustraties altijd kunnen opvangen en kunnen draaien. Daardoor wist ze nieuwe energie in hem los te maken, nieuwe overtuiging, nieuwe mogelijkheden, en toch stond hij op een dag met een glas jenever in zijn hand naar de muur van zijn zitkamer te kijken. Een hoge witgeverfde muur zonder enige decoratie.

Hij was alleen in huis, zijn vrouw was een paar dagen met een vriendin naar Parijs. Met zijn blik verzonken in het gladde stucwerk van de muur kwamen zijn twijfels terug, sterker en dieper, en zonder zijn vrouw om ze op te vangen en te keren, bleven ze hangen, eerst gezellig met de jenever, als bekend bezoek dat even langs wipt, later nestelden ze zich en vonden een plek die ze lang geleden hadden moeten afstaan. Hij had al die jaren een deel van zichzelf ontkend. Genegeerd. Verloochend. Geholpen door zijn vrouw had hij iedere twijfel van zich af geschoven, in de vaste overtuiging dat hij daar beter van zou worden, dat hij daar sterker van zou worden. Dat was ook zo. Hij was van het ene succes naar het andere gegaan. Iedere bedreiging had hij weten om te zetten in een kans en die kans had hij gegrepen.

Elke keer weer.

En elke keer dat er iets te vieren was, kwamen zij dichter bij elkaar, werd hun verwevenheid intenser, en verdween hijzelf verder uit het zicht. Hij ruilde zichzelf in voor het succes, waarvan hij niet meer wist of híj dat wilde of zijn vrouw. Die middag dat hij zwijgend naar de kale muur keek, had hij de gedrevenheid van zijn vrouw voor het eerst gezien als een val. En vanaf dat moment stond zijn vertrek vast.

Drie dagen lang deed hij niets. Hij at en dronk, zwom af en toe in de zee en lag op het zonnebed bij zijn kamer. De vierde dag bestelde hij een massage. Even later klopte een jonge vrouw aan. Ze droeg een uitklapbare massagetafel in haar ene hand en een tas met potjes en flesjes in haar andere. Om haar schouder hing een grote handdoek en ruim een uur lang wreef en kneedde ze elke spier die hij had, van zijn nek tot zijn kuiten. Elke keer wanneer hij haar smalle, sterke vingers in zijn vlees voelde knijpen, hoopte hij dat ergens, misschien wel precies daar, op dat punt, in het verlengde van haar vingertoppen, de bewe-ging weer zou beginnen. Met gesloten ogen lag hij op zijn buik. Zijn hele lichaam gloeide en straalde. Hij voelde zich beter dan ooit.

De vrouw klapte de tafel weer op en stopte alle flesjes en potjes in haar tas. Hij kleedde zich aan en hield de deur voor haar open, een handdoek nog om zijn nek ge-slagen, en knikte beleefd voordat zij de gang in stapte.

Achter haar rug kwam net een van de mannen uit de groep uit zijn kamer. Hij floot bewonderend en toen zij de andere kant op keek, maakte hij pompende bewegin-gen met zijn bekken en lachte hardop.

'*God, I love 'm*', zei hij. '*That's why I fuck 'm.*'

In zijn ogen zag hij de geilheid die soms de plaats in-neemt van eenzaamheid en verlorenheid. Hij kende het gevoel, ook de drang die het losmaakte, vooral bij man-nen in hotels. Hij schoot de man aan.

'*Do me a favour?*' vroeg hij en hij nam hem mee naar

het business center van het hotel. Daar zette hij zich aan een computer en typte een korte brief, waarin hij zijn vrouw machtigde in zijn naam op te treden en voor hem te tekenen. Aandachtig las hij de brief nog een keer door en tekende. Het was de laatste keer dat hij iets met die naam zou ondertekenen. Hij keek naar de strakke, zakelijke strepen die kort en puntig zijn wil vertegenwoordigden.

De laatste keer.

Naast hem stond de man verveeld te kijken tot de brief af was. Onderaan stond, in een aparte regel, duidelijk leesbaar:

Witnessed by .... *Date* .... *Place* ....

'*What's your name?*' vroeg hij.

'*Brian Nettleson.*'

Hij typte de naam, vulde de datum en de plaatsnaam in en printte de brief. Uit zijn achterzak nam hij zijn oude paspoort, zodat Brian kon verifiëren dat hij het was en dat hij inderdaad de brief had geschreven en getekend.

'*That's you, buddy*', zei Brian.

'*Sign here.*'

'*You're in luck*', zei de man terwijl hij met een geoefende beweging zijn handtekening zette, '*I'm a lawyer.*'

'*Is that so?*'

'*Damn right it is. And out here I am a fucking lawyer.*'

Ze lachten en Brian maakte aanstalten om weg te gaan.

Voordat hij de deur uit was, draaide hij zich om.

'*Just out of interest,*' zei hij, '*what did I just witness?*'

'*Me signing away my life.*'

Brian lachte luid, de lach van een advocaat die iets anders begrijpt dan wat er gebeurt.

'*We're having some girls in Kevin's room, number 113, seven o'clock. You're invited. So be there, man without a life. They'll get some life back into you.*' Hij lachte weer. Zijn vrolijkheid was niet aanstekelijk.

Bij de balie van het hotel vroeg hij een envelop. Hij stopte de brief erin en adresseerde de envelop aan zijn notaris in Amsterdam. Aan de vrouw achter de balie vroeg hij of ze de brief wilde posten.

Ze knikte en glimlachte.

'*Massage OK?*' vroeg ze.

De avond voor zijn vertrek was er een barbecue op het strand. De groep mannen was aan de laatste nacht begonnen. Hij zag Brian met een Thaise vrouw op schoot en een glas bier in zijn hand. Zij voerde hem garnalen en stukjes kip. De geuren van de grill dreven langs en vermengden zich met die van alcohol en opwinding. Brian zwaaide naar hem, wenkte hem.

'*Still no life?*' vroeg hij en hij duwde de vrouw van zijn schoot, zo in zijn armen. '*Have this one, I have another.*' Hij wees naar een andere vrouw iets verderop. Jonger, met nog minder kleren aan. Hij lachte, trok ongegeneerd aan zijn kruis en liep waggelend naar het meisje, dat hem met een vinger in haar mond opwachtte.

Beelden en tekens overvielen hem.

De vrouw sloeg een arm om hem heen en trok hem tegen zich aan.

'*You my man now*', zei ze.

'*I'm not your man*', zei hij.

'*Is OK, I your woman.*' Ze nam hem mee naar zijn kamer. Hij hoefde nauwelijks iets te doen. Zo voelde het. Hij was zijn lichaam en dat wist zelf precies wat het wilde en wat daarvoor nodig was. De seks was zijn afscheid van zichzelf. Een mooi afscheid. Ze hield zijn erectie in haar handen en smeerde hem in met olie tot hij glom en gleed en bijna knapte. Ze trok haar slipje uit en neukte hem alsof ze haar hele leven op hem had gewacht.

Later voegde hij zich weer tussen de etende en drinkende mensen op het strand. Het was minder druk, maar luidruchtiger. Op een stoeltje naast de grote barbecue scheurde hij zijn oude paspoort aan stukken, en liet de blaadjes een voor een in de gloeiende kool vallen. De geplastificeerde pagina met zijn pasfoto en naam sloopte hij geduldig uit elkaar tot minuscule stukjes. Ook de kaft verdween in de grill en verbrandde tot er niets dan as van over was. De man die hij was zou Thailand nooit meer verlaten. Hier nam hij afscheid van zijn naam, zijn oude naam. Als iemand hem kwam zoeken, dan hield het spoor hier op. Niet dat het hem interesseerde of iemand naar hem op zoek was, hij was niet op de vlucht. Hij zocht een eindpunt, een mooie plek waar hij zichzelf kon achterlaten. Het verbranden van zijn paspoort was daarom een ritueel, een kleine plechtigheid waarmee hij een tijdperk afsloot.

De volgende dag checkte hij in onder zijn nieuwe naam en vloog terug naar Australië.

Enige tijd later wordt er 2,9 miljoen bijgeschreven op de en/of-rekening. Haar man, nu al meer dan twee maanden weg, heeft sinds de dag van zijn vertrek geen cent meer van die bankrekening opgenomen.

'Ook niet van zijn eigen rekening,' zegt de notaris, 'maar die is nu ook van u. Eigenlijk is niets meer van hem. Alle huizen staan op uw naam en wat niet op uw naam staat, daar kunt u vrijelijk over beschikken.'

'Wat moet ik me daarbij voorstellen?' vraagt ze.

'Aandelen, auto's, het jacht in Zuid-Frankrijk, de …'

'O, dat', zegt ze. Het interesseert haar niet. Hoe meer de notaris opnoemt, hoe meer het bezit haar irriteert.

Hij toont haar de brief die haar machtigt alles van haar man als het hare te beschouwen. Zijn machtiging is als een mes dat haar leven fileert, het bot eruit snijdt tot er alleen nog weke delen over zijn die niet op zichzelf kunnen staan.

'Wat heb ik hieraan?' Met een nijdig gebaar smijt ze de brief terug. Het papier dwarrelt over het bureau.

'Tsja …' De notaris draait met duim en wijsvinger de lange haren van zijn wenkbrauwen tot een krulletje. 'Dat hangt ervan af hoe u het bekijkt.'

'Zit er geen brief bij?' vraagt ze en ze graait de envelop van het bureau.

'Dit is de brief', zegt de notaris.

'Wat een gelul!' Haar stem klinkt veel harder dan ze had bedoeld en ze schrikt van haar eigen grofheid, zo kent ze zichzelf niet. Ze praat over haar verwarring heen. 'Dit is geen brief. Dit is een machtiging. In een brief staat iets, een brief gaat ergens over.'

'Er zijn weinig brieven waar zo veel in staat als deze', zegt de notaris. Heel voorzichtig schuift hij het vel papier weer naar haar toe. 'Probeer het te zien als een opening, een nieuwe mogelijkheid.'

Ze begrijpt het niet en luistert naar de oorlog in haar hoofd, gedachten als troepenbewegingen slaan haar stellingen aan gort. Nergens is nog een veilige plek. De machtiging die bedoeld is om haar sterk te maken, om haar alles in handen te geven, holt haar uit. De brief is een sluitstuk, een punt achter iets waarvan zij al die tijd nog hoopte dat het niet was afgelopen.

'Hij denkt zeker dat hij iets over mij te zeggen heeft', zegt ze. Ze is verontwaardigd. Eigenlijk wil ze vloeken, scheldwoorden door de kamer slingeren, maar tegelijkertijd wil ze zichzelf niet verlagen. Dat gunt ze hem niet. Ze voelt zich alsof ze in de logeerkamer van haar eigen huis is terecht gekomen, ontheemd zonder te zijn vertrokken.

De notaris knikt, hij begrijpt iets, maar zegt niet wat.

In stilte kijkt ze naar het papier op zijn bureau, een vel met niet meer regels en zinnen dan strikt noodzakelijk.

Geen groet, geen afscheid, geen liefde. Het liefste zou ze de brief ter plekke verscheuren, in honderden snippers.

'Dan ga ik hem toch maar halen', zegt ze, meer als verzuchting dan iets anders. 'Hoe groot kan dat Australië nou zijn? Er wonen daar net zo veel mensen als hier.'

'De brief komt uit Thailand', zegt de notaris. Hij pakt de envelop, draait hem om en laat haar de postzegels zien.

'Dus hij is in Thailand', zegt ze.

'Soms is iemand niet zozeer vermist', zegt de notaris, hij doet zijn best zich voorzichtig uit te drukken. 'Soms wil iemand gewoon niet worden gevonden, begrijpt u? Dat is een niet onbelangrijk verschil.'

Ze knikt, ze begrijpt het maar al te goed. Met hernieuwde interesse kijkt ze naar de envelop en naar het briefpapier. Nu pas ziet ze de naam van het hotel, rechts boven, gedrukt in donkerblauwe overdreven mooie krulletters. Ze drukt het papier tegen haar gezicht en ruikt.

Het ruikt naar papier.

Pas als ze weer thuis is, dringen de woorden van de notaris echt tot haar door. Misschien moet ze niet proberen vast te houden, maar juist loslaten. Ze draait een mok thee in haar handen. Als hij niet gevonden wil worden, wat zoekt zij dan? Wat heeft ze ooit gezocht? Voor zichzelf? Ze kan het zich niet eens herinneren. Altijd heeft ze hun toekomst gezocht. Hun toekomst samen. Maar kennelijk had zij daarvan een ander beeld dan hij.

Die gewaarwording is als een steen die door een beeldhouwer wordt gespleten. Met één klap op precies de juiste plaats valt het harde materiaal langs een breuklijn uiteen.

Die breuklijn was er altijd al geweest.

Ze staat op, zet haar mok in de gootsteen en laat hem vol water lopen. Dan pakt ze haar tas van de stoel, loopt naar buiten, trekt de voordeur achter zich dicht en gaat in haar auto zitten. Mobiele telefoon in haar hand. Ze kijkt naar de voortuin, de garage, de omloop naar achteren en belt een makelaar.

Een nieuwe naam, dacht hij en hij vroeg zich af of hij ooit aan zichzelf zou denken met die nieuwe naam, of hij niet altijd de naam zou blijven die hij al drieënvijftig jaar had. Hoe vaak hij ook bedacht dat hij juist door zijn nieuwe naam meer zichzelf kon zijn, toch moest hij er heel erg aan wennen. Hij was nu een ander, dat hield hij zichzelf voor, keer op keer.

Vanaf de veranda achter het huis, keek hij naar het droge Australische land, dat zich uitstrekte tot ver voorbij de horizon. Hij had zich teruggetrokken op een plek waar de huren laag waren en de voorzieningen precies voldoende. Hier kon hij het lang genoeg uithouden om zijn oude leven te laten slijten en ruimte te maken voor de man die hij geen kans had gegeven. Die man wilde hij verleiden om zich weer te laten zien, en zonder geduld en aanmoediging zou dat waarschijnlijk niet lukken. Na zo veel jaar ondergeschikt te zijn geweest aan zijn vrouw, haar te hebben gevolgd in haar ambitie, wist hij niet wat hij zou vinden. Wie hij zou vinden. Als er al iemand was.

Hij dronk grote glazen ijskoud bier, had van 's ochtends tot 's avonds een hoed met een brede rand op zijn hoofd, hij leerde vliegen en andere insecten accepteren als huisgenoten. Spinnen zo groot als zijn hand, slangen in zijn tuin. Levensgevaarlijke dieren, die hun aanwezigheid volstrekt normaal vonden. Hij reed over lange rechte wegen waar zijn auto vaak het enige verkeer was, urenlang niets anders dan de weg en de omgeving. Soms stopte hij, opende het portier en luisterde naar de immense ruimte. Hij leefde in een land waar de uitgestrektheid om hem heen groter was dan de leegte in hem.

In een supermarkt ontmoette hij een vrouw, ze spraken over groente en ketchup, want zij liep met een wagentje vol tomaten, uien, knoflook, azijn en een grote hoeveelheid kruiden. Ze sprak hem aan toen hij een fles Heinz uit het schap wilde pakken.

'*Make your own*', zei ze.

'*Impossible*', zei hij.

Ze pakte de fles ketchup uit zijn handen en zette hem terug.

'*You look like you need something to do*', zei ze. Ze heette Trish en voor het einde van de dag stond hij naast haar gebogen over een grote pan waarin vijf kilo gepureerde tomaten zachtjes lagen te pruttelen.

Renate is sprakeloos. Het huis verkopen, het prachtige huis waar zij zo veel hebben meegemaakt, waar zo veel successen zijn gevierd?

'Weet je het wel heel zeker?' vraagt ze.

'Ik herinner me er niets meer van. Al die opwinding en al die feesten, het is alsof ik er niet eens bij was.'

'Wat vreselijk.'

'Valt wel mee. Geheugenverlies is minder erg dan je denkt', zegt ze. Met een soepel gebaar giet ze het restje witte wijn naar binnen.

Renate glimlacht en nipt aan haar glas, ze moet zich in de hand houden, want zij heeft nog een man, een kind, een hond en een huishouden dat vlekkeloos moet draaien.

'Vanavond gasten, Franse partners van Oscar', zegt Renate. Ze zucht een verontschuldiging.

'Fransen?' Ze kan haar lachen niet onderdrukken. 'Sterkte.' Ze weet uit ervaring hoe dat is. Het maakt niet uit wat je ze voorzet, ze kijken je altijd aan alsof het de grootste culinaire teleurstelling uit hun leven is.

'Cateren. Of anders weigeren', zegt ze.

'Mis je hem?' vraagt Renate opeens, zonder aanleiding.

'Ik mis mijzelf', zegt ze en ze schenkt haar glas nog eens vol. 'Te veel Franse zakenrelaties, Duitsers, Engelsen, klanten, leveranciers. Diner hier, ontvangst daar. Borrels met partners. Handen aan mijn billen, in mijn rug, op mijn schouders.'

'Op mijn knieën.'

'En niet alleen daar.'

Hun vrolijkheid escaleert, maar gaat niet gelijk op. Zij herinnert zich handtastelijkheden waar soms geen hand aan te pas kwam. Maar allemaal in het verleden.

'Erecties op recepties', zegt Renate. In haar ogen zijn alle jaren die nog komen duidelijk te zien; alle mannen die verborgen achter hun pak een stijve lul tegen haar been duwen of tegen haar billen of waar dan ook. Het gebeurt, soms met een excuus, soms zonder een woord, meestal met een blik van schuldige geilheid.

Ze legt haar hand op die van Renate. 'Sorry', zegt ze.

'Jij hebt het niet gedaan.'

Niemand heeft het gedaan, en toch gebeurt het.

'Zou je hem terug willen?' vraagt Renate.

Ze draait haar glas tussen haar vingers. Iedereen denkt dat dat de vraag is. Zelfs Renate. Maar dat is het niet.

'En dan? Hij wil mij niet, kennelijk. Wat vraag je eigenlijk?' Ze kijkt haar vriendin verontwaardigd aan. Waarom zou zij hem terug willen? Wat is dat voor vreemd idee?

'Want jij hebt ondertussen wel altijd gedaan wat hij wilde', zegt Renate. 'Zo is het toch?'

Ze schudt haar hoofd. Zo is het niet. Zo is het nooit geweest. De opmerking van Renate treft een doel dat zij geen van beiden ooit eerder hadden gezien. Zij deed niet wat hij wilde. Het was andersom.

'Nee', zegt ze.

'Mooi wel. Vertel mij wat. Het is voor mij net zo, dus

ik weet waar ik het over heb. Tegen mij kun je het gewoon zeggen. Daarom juist.' Renate weet van geen ophouden, ze heeft het over zichzelf en staat op het punt vijfentwintig jaar volgzaamheid op haar vriendin te projecteren.

Maar zo is het niet.

'Ik zou hem wel willen zien', zegt ze. 'Ik zou hem willen spreken, willen vragen waarom hij is verdwenen.'

Renate kijkt glazig voor zich uit. 'Misschien verwachtte je te veel', zegt ze.

'Misschien.' Ze weet dat Renate gelijk heeft, want ze verwachtte alles. Hij kon zo veel, zo veel meer dan hij dacht, zo veel meer dan zij. Maar hij miste de richting, de ambitie, en zij kon het niet aanzien dat hij zijn enorme talenten niet volledig benutte. Als zij zo onbeschaamd begaafd was geweest als hij, dan had ze geen aanmoediging nodig gehad. Geen enkele. Daarom joeg ze erachteraan. Achter hem aan.

De eerste liter ketchup was op voordat hij het wist. Trish smeerde het overal op en ze maakte alles zelf. In de stoffige Australische hitte had zij een manier van leven en vooral van koken ontwikkeld die paste bij het onmetelijke van de omgeving.

'*You need big flavours here*', zei ze. '*The little stuff just disappears.*' In haar handen werd fastfood langzaam.

Hij leerde zien wat zij zag en zij leerde zijn taal, woord voor woord, met haperingen. Af en toe sloeg ze een woord over en het Engels bleef herkenbaar in wat ze zei.

'Ik hou jou', zei ze.

Juist die beknoptheid opende zijn hart. Hij twijfelde nog aan wie hij was, maar niet aan wat hij had gedaan. Zijn vertrek was zo definitief geweest dat allerlei beelden en indrukken moeite hadden een plaats te vinden. Hij schoof ze heen en weer en door Trish wist hij steeds nieuwe ruimtes in zichzelf te ontdekken.

Hij dacht aan zijn vrouw en aan de trots die ze samen hadden gevoeld toen hij zijn hoogste positie had bereikt. Voorzitter, topman, hij. Het fysieke effect was zo sterk geweest dat hij uit zichzelf leek te treden. Niemand meer boven hem. Daar was hij geweest, met haar. De gedachte eraan liet nu nog de adrenaline door zijn lichaam stromen en die spanning, die zelfingenomen opwinding was precies wat hij niet meer wilde. Daarom vertraagde hij, alles wat hij deed, deed hij langzamer. Hij slenterde, zat, keek, luisterde.

In de slaapkamer stond een grote kast. In een hoek hingen het pak en het overhemd die hij aan had toen hij Europa verliet. Op een plank lagen een paar onderbroeken, sokken en T-shirts, meer niet. Hij had twee spijkerbroeken en twee overhemden. Als hij het ene setje aan had, lag het andere in de was. Op de grond naast de voordeur stond een paar schoenen. In en rond huis liep hij op teenslippers. Aan de kapstok hing een jack voor als het slecht weer werd. Hij had het nog nooit gedragen. En zijn hoed. Al zijn kleren pasten in een plastic tas van de supermarkt, en wat er niet in paste, liet hij net zo makkelijk achter. Als het moest.

Hij keek naar de lege, vrijwel kale ruimte van het huis, de kast, de muur, de gang, de kamers. Nergens kunst aan de wand. Geen foto's of tekeningen, geen briefkaarten of krantenknipsels.

Trish stond naast hem en raakte hem aan. 'Hier is *nothing*,' zei ze, 'alleen de moment, voel je? De energie van de moment.'

Ze zweeg en ademde in. En uit.

Hij hoorde de lucht uit haar stromen. Hij hoorde het kraken en piepen van de horren voor de ramen, de wind in de tuin, de hond van de buurman en, veel verder weg, een auto die naar het dorp reed, tot ook dat geluid wegstierf.

'De energie van de moment', zei ze. '*Feel it.*'

Hij voelde niets, niets bijzonders in ieder geval, maar hij knikte, want hij wist niet zeker of dat niet precies de kracht was waar zij het over had.

Ze spreidde haar armen wijd, haar ogen gesloten. Onder het topje dat aan spaghettibandjes aan haar schouders hing, droeg ze niets. Haar tepels stonden naar voren achter de dunne, lichte stof.

Als haar lichaam het moment was, dan voelde hij de kracht sterker dan ooit.

'Je moet het toelaten', zei Trish en ze trok haar topje uit.

Zijn kleren zijn haar grootste beproeving. Ze kan het huis verkopen en alles moet eruit. Dat gaat eenvoudiger dan ze had verwacht, meubels, woningdecoraties en kunst laat ze afvoeren naar veilinghuizen en handelaren, maar zijn kleren hebben een verlammende uitwerking op haar. Prachtige pakken, overhemden om van te kwijlen, schoenen waarvan het leer glanst alsof het leeft. In die kleren ziet ze hem. Zijn lichaam spookt in elke vezel van de stoffen. Hoe langer ze de kleren laat hangen, hoe meer ze hem ziet en hoe sterker ze hem voelt. Alleen daar, voor zijn kast. *Cool-wool*, zijde, de mooiste katoen. Zonder haar had hij er nog steeds uitgezien als een overjarige schoolverlater. Hij had het lijf en de houding van een model. Dat had zij in hem gezien en hier in zijn kast hangt het bewijs.

Ze zucht, van verslagenheid en van verlangen. Dan pakt ze haar telefoon en belt haar vriendin.

'Ik heb hulp nodig', zegt ze.

Renate ziet het heel anders. Weggooien, alles. Hij is er vandoor gegaan, dus hij kan moeilijk verwachten dat zij al zijn dierbare pakken voor hem bewaart. Dat zegt ze en het klinkt logisch. 'En zo dierbaar zijn ze niet, want anders had hij ze wel meegenomen.'

Zo trekt Renate onbewust de wond verder open. Zijn kleding was hem niet dierbaar, denkt ze. Hij vond zijn pakken en overhemden wel mooi en hij wilde dat ze mooi bleven, maar voor hem waren het kledingstukken, gewoon iets om aan te trekken. Zijn kleren zijn de enige herinnering die ze echt heeft. Daarom kan ze er ook zo moeilijk afstand van doen; het zijn haar pakken, haar overhemden.

'Anders geef je de hele zooi aan de kringloopwinkel. Die springen een gat in de lucht.' Renate heeft geen idee. 'Je moet nu doorpakken', zegt ze. 'Dat hij er niet meer is, wil nog niet zeggen dat je de dingen maar kunt laten liggen. Zo makkelijk komt hij niet van je af.'

Ze gingen samen uit. Burgers en bier, zo veel keus was er niet in het stadje. Met Trish sprak hij niet over ambities of zaken, niet over successen of kansen. Zij hadden het over hoe zij zich voelden, waar dat gevoel vandaan kwam en waar het heen ging. Als hij twijfelde, nam ze zijn twijfel niet weg, maar geloofde hem. Trish liet zijn twijfels liggen waar hij ze neerlegde, waardoor hij vertrouwd raakte met zijn onzekerheden en steeds meer kon genieten van de diepte die het zijn dagen gaf. Hun seks was langer en vochtiger, maar dat kwam ook door de intense hitte van het land. Zijn lichaam werd zijn maatstaf en daardoor werd alles voelbaarder. Zij duwde en lokte hem door grenzen en hij ontdekte dat zich achter elke grens een nieuw uitzicht ontvouwde. De zelfgemaakte ketchup was nog maar een begin geweest. Uitgestelde orgasmen, dagenlang vrijen, zuiveringen, ontslakkingen en diëten die de laatste grammen vet uit hem brandden. Hij werd tanig en sterk. Zij gaf hem supplementen waarvan hij de ingrediënten niet eens begreep, maar hij was virieler dan ooit. Zij was veertien jaar jonger dan hij en fit als een kangoeroe.

In de eerste schemering maakte hij met oud papier en droog hout een vuur achter in de tuin. Hij schonk meer koud bier en samen staarden ze naar de loeiende vlammen.

'Zo terug', zei hij. Hij zette zijn bier neer en liep naar de slaapkamer. Uit de kast haalde hij het pak dat daar nog steeds hing, een mooi grijs kostuum van lichte wol. De stof viel soepel over zijn handen. Hij pakte het overhemd en de das die erbij hoorden en nam alles mee naar buiten.

'Let op', zei hij.

'*I'm looking*,' zei Trish, 'en dat is de mooiste pak die ik ooit heb gezien.'

'En het laatste', zei hij en hij zwaaide zijn arm naar achteren om te gooien.

'Zijn de zakken leeg?' vroeg ze.

Er gaat helemaal niets naar tweedehandswinkels. Dat is haar beslissing. Zodra ze hem heeft genomen, weet ze het zeker. Er gaat niets naar de kringloop, niets naar arme landen. Wat zouden ze daar aan moeten met luxe Italiaanse pakken?

Ze trekt een vuilniszak van de rol, slaat hem open en propt het eerste kostuum erin. Broek, jasje. Het geeft een onverwachte voldoening om zulke dure spullen weg te gooien. Het is alsof de handeling er meer betekenis door krijgt. Een versleten onderbroek, dat kan iedereen, maar als je een nog bijna nieuwe Corneliani van meer dan duizend euro in zo'n plastic zak gooit, dan doe je iets. Dan neem je ergens afstand van. Dan laat je zien dat het nooit om het geld ging. Ze voelt een bevrijding van uiterlijkheden, van ideeën waar ze hoognodig vanaf moet. Opeens krijgt ze haast. 'Doorpakken', had Renate gezegd en dat is precies wat ze nu wil. Ze rukt de pakken uit de kast, trekt ze van de hangers en smijt alles op een grote stapel. Renate doet onmiddellijk mee en binnen de kortste keren vliegt de kleding door de kamer. Ze zwepen elkaar op, springend en gillend.

'En nu de fik erin!' schreeuwt Renate.

Samen slepen ze alles naar buiten, naar een open plek in de tuin. Met kranten en takken en haardblokken stoken ze een vuur tot de vlammen loeien en hongerig op zoek zijn naar meer brandstof. Ze grijpt het eerste pak en houdt het met een theatraal gebaar boven de vlammen. Ze voelt zich een indiaan die zijn boze geesten gaat verbranden. Inwendig is ze een met het vuur. Ze laait.

'Zijn de zakken leeg?' vraagt Renate.

Ze houdt het pak in de vlammen en laat pas los wanneer het vuur langs de broekspijpen omhoog kruipt.

'Nu wel', zegt ze.

'Ik stop nooit iets in mijn zakken', zei hij. 'Daar gaat het jasje van lubberen.'

Trish lachte. *Lubb-buh-run? What the hell is that?*

'Hangen, uitzakken', zei hij en hij probeerde voor te doen hoe een uitgezakt pak eruit ziet.

'Maar ben jij zeker?'

'Kijk zelf maar', zei hij.

Ze schudde haar hoofd. 'Nee, is goed. Ik geloof je.'

Hij lachte en wilde opeens dat zij het zou controleren, dat zij met haar handen zou bevestigen wat hij zei. 'Hier', zei hij en hij gaf haar het jasje.

Ze stonden tegenover elkaar naast het vuur. Flesjes bier in een koelbox. Niemand en niets tussen zijn achtertuin en de ondergaande zon. Haar handen gleden snel langs de randen en openingen van het kledingstuk. Binnenzakken. Buitenzakken. Rechts. Links. Ze haalde haar hand tevoorschijn en hield een klein, opgevouwen papiertje tussen haar vingers. Langzaam vouwde ze het open en las wat erop stond. Geconcentreerd, want ook al sprak ze een beetje Nederlands, het lezen van die vreemde taal was nog steeds moeilijk. Woord voor woord plukte ze de betekenis van het briefje.

Ze sloot haar ogen.

'O, zo lief.' Trish keek hem aan. 'Dat doe jij expres zo, omdat jij weet dat ik het kan vinden.'

Ze zuchtte, bracht haar handen naar haar borst en drukte het papiertje tegen haar hart. Tranen in haar ogen.

Hij voelde zijn keel dichtknijpen. Dat briefje. Dwars door het papier heen herkende hij het handschrift van zijn vrouw, de rechte stevige letters die met kracht waren neergeschreven. Zij moest het in zijn zak gestopt hebben voor hij vertrok. Een briefje voor hem, waar iets op stond wat een onbekende tot tranen roerde. Onwillekeurig maakte hij dezelfde beweging als Trish, met de modieuze pantalon nog in zijn handen klemde hij zijn twee vuisten tegen zich aan om zijn bonkende hart tot bedaren te brengen. Zijn verleden kantelde. Alle herinneringen, elk gevoel, iedere aanraking, ooit, elke blik, haar vingers, haar lippen, wat ze zei en dacht en deed. Het was er allemaal nog, er was niets verdwenen.

Niets verdwenen.

Trish frommelde het papiertje tot een propje en gooide het in de vlammen.

'Ik wist niet dat je zo van mij dacht', zei ze. 'Echt, heel lief.'

Over de auteur

Charles den Tex (Australië, 1952) studeerde fotografie en film in Londen, doceerde Engels in Parijs, en keerde in 1980 terug naar Nederland, waar hij zich vestigde als reclametekstschrijver en later als communicatie- en managementadviseur. Bijna al zijn thrillers werden genomineerd voor de Gouden Strop. Drie keer won hij deze prijs. Zijn boeken worden in de pers vergeleken met die van John Grisham, Michael Crichton en Michael Ridpath.

Kenmerkend voor Den Tex is dat zijn thrillers overwegend in het bedrijfsleven spelen. De auteur combineert een natuurlijke vertelstijl met intelligente, spannende plots en heeft zo zijn eigen specialiteit ontwikkeld: de Nederlandse bedrijfsthriller. Hij schrijft over normale mensen met een normale baan bij een normaal bedrijf die stapje voor stapje in een situatie raken waarin zij tot keuzes worden gedwongen. Met *Angstval* sloeg hij een andere weg in, zowel binnen zijn oeuvre als binnen het thrillergenre. Ook dit verhaal speelt weliswaar in het bedrijfsleven, het criminele dit keer, maar de plot draait om de omslag in het leven van detective Peter Kram.

De macht van meneer Miller en CEL zijn weer traditionele thrillers; snelle verhalen waarin een eenling, Michael Bellicher, het tegen wil en dank opneemt tegen een vooralsnog grotere macht. In 2010 zal *Wachtwoord* verschijnen: deel drie in de serie.

Prijzen

Met *Schijn van kans*, zijn vijfde thriller, won hij in 2002 de Gouden Strop. *De macht van meneer Miller*, zijn achtste thriller, werd bekroond met de Gouden Strop 2006. Met het in 2008 verschenen CEL kreeg hij voor de derde maal de hoogste prijs die in Nederland voor spannende literatuur wordt toegekend. CEL werd ook genomineerd voor de Diamanten Kogel, de Vlaamse tegenhanger van de Gouden Strop. Bovendien werd CEL geselecteerd voor de longlist van de Libris Literatuur Prijs, een erkenning van het literaire gehalte van de roman.

Charles den Tex: 'Goede stijl is in dit genre een meerwaarde, geen noodzaak. Mensen met een goede stijl als Dashiell Hammett en Raymond Chandler vallen altijd op. Ik vind dat elke schrijver op zoek moet naar een eigen stijl. In ieder geval de moeite moet doen om die te vinden. (…) De spanning komt bij mij niet alleen door de actie, maar zit ook in de taal. Daar zoek ik naar. In *Angstval*, mijn achtste boek, heb ik gebroken met het "vertelgemak". Ik probeerde een totaal andere stijl, overdreven anders. Bij bijna elke zin heb ik mezelf geforceerd. Het resultaat is dat ik geen beperkingen meer zie in mijn genre.'

Film en toneel

De thriller *Claim* werd verfilmd door Martin Lagestee met in de hoofdrollen Louise Lombard (*House of Elliot*) en Billy Zane (*Titanic*). Den Tex kreeg een scenario-opdracht voor een Nederlandse serie bij de VPRO. In 2008 ging zijn eerste theatertekst *Volmaakt geluk* (samenwerking met Peter de Baan) in première, gespeeld door Rick Engelkes, Isa Hoes en Renée Soutendijk.

Pupkin Film, maker van *Van God los* en TBS, gaat *De macht van meneer Miller* als televisieserie en CEL als speelfilm produceren.

Charles den Tex

Schijn van kans

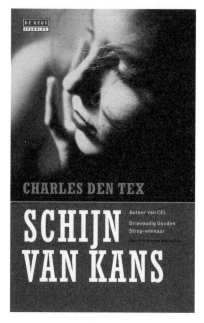

ISBN: 978 90 445 1411 7
gebonden, 288 pagina's
€ 15

'Fusies en overnames leiden in *Schijn van kans* tot fraude, omkoping en moord. Met korte vlijmscherpe zinnen weet de auteur karakters, milieus en situaties in het brein van de lezer te etsen (…) een boek dat qua stijl de andere overtreft, dat bol staat van rake sfeerbeschrijvingen en voortreffelijke dialogen en dat de lezer op geraffineerde wijze naar een uiterst onderhoudende en spannende finale leidt.' – *Juryrapport Gouden Strop 2002*

Winnaar Gouden Strop 2002

Geheime informatie is een levensgevaarlijke vijand

Standard Capital is een kleine bank op het gebied van fusies en overnames. Eigenaar Ernst Dellenge kaapt voor de neus van de machtige Nederland Europa Bank een lucratieve opdracht weg. Binnen een maand moet Dellenge een overeenkomst tot stand brengen tussen het Nederlandse NedKap en het Amerikaanse Fraser Cable. Dat is Dellenge met zijn uitgebreide netwerk wel toevertrouwd. Maar Dellenge overlijdt plotseling – een ongeval? Zijn talentvolle medewerkster Matti van der Donk neemt zijn werk over en komt voor een onmogelijke opdracht te staan.

'Den Tex, die zijn brood verdient als communicatie- en organisatieadviseur, weet waarover hij schrijft. Dat aspect maakt *Schijn van kans* zo'n intrigerende kijkje-in-de-keuken-thriller.' – *Algemeen Dagblad*

'*Schijn van kans* geeft interessante doorkijkjes in de wereld van de fusies en de overnames.' – NRC *Handelsblad*

Charles den Tex

De macht van meneer Miller

ISBN: 978 90 445 1338 7
gebonden, 336 pagina's
€ 15

'Den Tex schrijft met een helderheid en precisie die in het Nederlands taalgebied uitzonderlijk zijn. (...) Een waarlijk complete thriller.' – *Juryrapport Gouden Strop 2006*

Winnaar Gouden Strop 2006

Actuele roman over de macht van adviestechnocraten

Michael Bellicher werkt voor een van de grootste advies-bureaus ter wereld. Alles waar hij van droomt, lijkt binnen handbereik. Tot zijn jongere broer na vijf jaar in Amerika onverwachts terugkeert. Michael herkent hem niet meer en na een emotionele confrontatie stort hij in. Hij doet alles fout, verwaarloost zijn werk en schoffeert zijn klanten. Tot hij dreigt te worden ontslagen. Om te voorkomen dat hij de volgende dag het kantoor niet eens meer in kan, sluit hij zich op in de kantine. Het is de stomste beslissing van zijn leven. Die nacht is hij op het verkeerde moment op de ver-keerde plaats. Hij is getuige van een moord waarvan hij zelf de schuld krijgt. Michael vlucht. Terwijl er op hem wordt gejaagd, probeert hij zijn onschuld te bewijzen, maar over-al stuit hij op meneer Miller, een ongrijpbare man die alles over hem lijkt te weten. Bijna alles.

'*De macht van meneer Miller* is een samenzweringsroman van het zuiverste water. (…) Helder, meeslepend proza. Een must.'
– VN *Detective & Thrillergids 2006* (5 sterren, *****)

'Dat spanning op een heel andere manier wurgend kan zijn, maakt Charles den Tex duidelijk in *De macht van meneer Mil-ler*. (…) Razend spannend, strak geschreven verhaal, met veel lichamelijk en technisch geweld, en opmerkelijke personages.'
– *de Volkskrant*

Charles den Tex

CEL

ISBN: 978 90 445 1108 6
gebonden, 384 pagina's
€ 15

'Een volbloed thriller, meeslepend en actueel, grappig, indringend en vooral heel spannend.' – *Juryrapport Gouden Strop 2008*

Winnaar Gouden Strop 2008

Razend spannende thriller over identiteitsroof, een snel groeiende vorm van misdaad

Michael Bellicher, de hoofdpersoon uit *De macht van meneer Miller*, is getuige van een auto-ongeluk met dodelijke afloop. Hij is zelfs de enige getuige. De politie ondervraagt hem en houdt hem na afloop aan op verdenking dat hij enkele maanden eerder een dodelijk ongeluk zou hebben veroorzaakt en is doorgereden. Dat hij de afgelopen tijd in het buitenland is geweest voor zaken, pleit hem niet vrij. Voor Michael staat het vast dat iemand zijn identiteit geroofd heeft. En het houdt niet op bij het auto-ongeluk. Michael wordt ook verdacht van het plegen van een ramkraak op een juwelier en er is op zijn naam een gigantische hypotheek op een waardeloos tuinbouwbedrijf genomen. Het is nu zaak uit handen van de politie te blijven en zijn identiteit terug te krijgen.

'De combinatie van realistische en virtuele "waarheden", met daarbij de eeuwenoude menselijke zwakheden als liefde en de wens om te overleven, komen samen in een overtuigend, spannend verhaal over het individu dat het moet afleggen tegen misdadigers en overheidsdiensten.' – *de Volkskrant* (vier sterren, ****)

'CEL is een razend spannend verhaal vol onverwachte wendingen en geestige dialogen (...) in 24-karaats Nederlands.' – NRC *Handelsblad*